Juliette

EN DIRECT

Les éditions de la courte échelle inc.
160, rue Saint-Viateur Est, bureau 404
Montréal (Québec) H2T 1A8
www.courteechelle.com

Révision : Hélène Ricard

Dépôt légal, 2e trimestre 2013
Bibliothèque nationale du Québec

La courte échelle reconnaît l'aide financière du gouvernement du Canada par l'entremise du Fonds du livre du Canada pour ses activités d'édition. La courte échelle est aussi inscrite au programme de subvention globale du Conseil des arts du Canada et reçoit l'appui du gouvernement du Québec par l'intermédiaire de la SODEC.

La courte échelle bénéficie également du Programme de crédit d'impôt pour l'édition de livres — Gestion SODEC — du gouvernement du Québec.

Catalogage avant publication de Bibliothèque et Archives nationales du Québec et Bibliothèque et Archives Canada

DeMuy, Yvan
Juliette en direct
Sommaire : t. 3. Le club des gestes gentils gratuits.
Pour enfants de 6 ans et plus.
ISBN 978-2-89695-385-1 (v. 3)
I. Benoit, Mathieu. II. Titre. Le club des gestes gentils gratuits.

PS8557.E482J84 2012 jC843'.6 C2012-941308-9
PS9557.E482J84 2012

Imprimé au Canada

Yvan DeMuy

Juliette EN DIRECT

tome 3

Le club des gestes gentils gratuits

Illustrations de
Mathieu Benoit

la courte échelle

Aux deux Élodie.
La grande, passionnée de Juliette en direct.
La petite, qui vient tout juste de naître.

Mon univers

Juliette

Tout le monde m'appelle Juju. Je ne suis jamais à court d'idées pour m'amuser ! Tannante ? Moi ? Nooooooon ! Aussi, maman me manque beaucoup, mais je suis sûre qu'elle veille sur moi de là-haut.

Denis Bolduc, mon toutou préféré

Quand j'ai rencontré mon chauffeur d'autobus, Denis Bolduc, je trouvais qu'il lui ressemblait. Je l'ai donc baptisé du même nom ! Il est arrivé pour mon anniversaire de cinq ans. C'est maman qui l'a fabriqué.

Louis,
mon papa

Papou est pâtissier (miam !). Il aime manger de la pizza devant un film, regarder le hockey à la télé et... écouter de l'opéra (beurk !). Ce qui est le plus important pour lui ? Le bonheur de ses filles : Jess et moi !

Hubert,
mon meilleur ami

Il est toujours prêt à me suivre dans mes aventures. C'est un sacré gourmand, il adore les biscuits. Hubert est un peu maladroit, mais tout le monde le trouve rigolo !

Jessica,
ma sœur

Elle est experte en chialage. Mais bon, elle est super-gentille. Jess aime écouter sa musique et écrire dans son journal intime. Moins ça bouge, plus elle aime ça ! Je suis vraiment chanceuse de l'avoir !

Chez
Juliette
et
papou

Chapitre 1

Chez Juliette et papou

Mon affiche « Chez Juliette et papou » est aussi belle que n'importe quelle œuvre d'art du monde entier. Surtout depuis que j'ai dessiné plein de croissants, de tasses de café et de sandwichs dessus. Avec ça accroché au mur, on se croirait dans le coin resto de la pâtisserie de papa. J'ai bien dit « on croirait » car, en réalité, on n'est pas plus loin que chez moi, dans la cuisine.

— Prêt, Hubert ?

— Oui, madame la serveuse-pâtissière, je suis prêt !

Je replace mon tablier, je saisis mon crayon et mon calepin, et je m'approche d'Hubert qui est bien assis à la table, en compagnie de Denis Bolduc.

— Alors messieurs, que désirez-vous ?

— Je prendrais un hamburger et...

Des fois, je pense qu'Hubert fait exprès pour me faire fâcher.

— Hubert, as-tu déjà vu un hamburger à la pâtisserie de papa ?

— Bien... on ne sait jamais. On pourrait lui proposer d'en faire une spécialité. On l'appellerait le « Hubertburger ».

Le « Hubertburger » ! Il rêve en couleurs.

— On va dire que tu commandes un café et un morceau de tarte aux pommes.

— J'aimerais mieux un chocolat chaud.

Hubert n'a pas l'air de comprendre que ce n'est que mon entraînement à servir les clients à la pâtisserie de papa.

— Et vous, monsieur Denis Bolduc ?

Hubert rigole chaque fois que je parle à mon toutou préféré.

— Parfait, monsieur Bolduc, je vous apporte un beignet dans un instant.

En réalité, ce n'est pas un café, un morceau de tarte aux pommes et un beignet que je leur apporte habilement sur un plateau, mais un verre d'eau et deux bananes.

— Les messieurs sont servis. Je vous souhaite un bon appétit.

Hubert fait la moue, déçu de ne pas avoir un vrai morceau de tarte.

— Je peux savoir ce qui se passe ici ?

Super ! Voilà ma sœur Jessica qui arrive. Ça me fait une nouvelle cliente à servir pour m'exercer.

— Bonjour mademoiselle Jessica. Quel plaisir de vous voir !

Jess me regarde comme si je venais d'une planète lointaine. C'est clair qu'elle ne comprend rien à ma mise en scène.

GGG
Juliette
MEMBRE DU CLUB DES
GESTES
GENTILS
GRATUITS
1
2
3

— J'ai l'intention de devenir membre du club des GGG de ma classe, que je lui annonce fièrement.

Jess ne se gêne pas pour se moquer du nouveau club des GGG. Elle croit que c'est le « club des gaffes des gauchers gênés ». Elle se trouve très drôle, mais je lui précise le plus sérieusement du monde que c'est plutôt le « club des gestes gentils gratuits », un club créé par mon enseignante. Pour en faire partie, il faut réaliser tout un défi, soit accomplir pas une, pas deux, mais TROIS bonnes actions envers la même personne en une seule journée. Et ce n'est pas tout, nos GGG doivent sortir de l'ordinaire.

C'est du défi, ça ! Puis, quand nos TROIS GGG sont faits, la personne à qui ils étaient destinés doit les inscrire elle-même sur un beau certificat, qui se retrouvera au tableau d'honneur de la classe.

LE GRAND
JOURNAL
CATASTROPHE
À LA PÂTISSERIE !
L'EMPLOYÉE
DU MOIS
JULIETTE

— Puisque tu pars quelques jours chez mamie Simone et que tu ne pourras pas travailler à la pâtisserie avec papa, j'ai décidé de te remplacer. Pas pire, hein, comme GGG ?

— Tu es certaine que papa est d'accord ? !

— Il ne le sait pas encore. Mais je suis sûre qu'il sera emballé par l'idée. Pour l'instant, je m'entraîne à servir les clients. Je ne veux surtout pas faire de gaffe demain !

— Toi, dans la pâtisserie, avec papa ? ! Tu risques plus de l'embêter que de l'aider.

C'est le genre de commentaire « agréable » auquel il faut s'attendre venant de ma sœur Jessica.

— Pour te prouver que je vais AIDER et non EMBÊTER papa, regarde bien cela.

Je vais au comptoir et je verse de l'eau dans trois verres que je mets sur un plateau. Je le soulève bien haut.

— Tu vois ? Je suis très habile pour...

J'ai à peine le temps de faire un pas et demi que le plateau se met à se balancer vers la droite, vers la gauche, et finalement il se dirige vers le... plancher. Oh ! oh ! Dégât... Heureusement que les verres sont en plastique.

Pas de doute, mon entraînement n'est pas terminé.

Chapitre 2

Un Papou inquiet

Quand j'ai annoncé à papa que je l'avais choisi pour faire mes gestes gentils gratuits, il était super-content. Mais quand je lui ai expliqué que je passerais la journée à travailler avec lui à la pâtisserie, il a un peu perdu son sourire.

— Tu n'as pas à t'inquiéter, papou, j'ai pensé à tout.

Ça n'a pas eu l'air de le rassurer. Son front s'est plissé davantage.

— J'ai mon plan, écoute bien ça. Comme premier GGG, j'ai pensé à quelque chose qui

t'aidera beaucoup. Je t'entends souvent dire que tu rêves d'avoir une super-équipe d'employés. Eh bien, bonne nouvelle, j'ai trouvé la personne idéale pour travailler dans ta pâtisserie ! Et c'est... Hubert !

Le petit bout de sourire qui lui restait a complètement disparu à ce moment-là.

— Hubert rêve de travailler dans une pâtisserie depuis qu'il est tout petit. Plus tard, il veut devenir goûteur en chef. Gourmand comme il est, je te garantis qu'il sera très bon, et même excellent !

Après un long soupir, papa s'est gratté la tête, il a regardé au plafond et a marmonné « Ouais... c'est que... peut-être que... » Le voyant hésiter de la sorte, je continue de lui exposer mon plan.

— Mon deuxième geste gentil gratuit est aussi génial que le premier. Ce sera de servir les clients au resto. Je me suis déjà entraînée tantôt et... je m'améliore !

Je ne pouvais quand même pas lui raconter ma mésaventure avec les trois verres d'eau.

— J'ai déjà vu faire Jess quand elle travaille avec toi, et je me dis que si ma grande sœur est capable, je le suis aussi. Avec Hubert et moi dans la pâtisserie, tu pourras relaxer.

Je lui ai réservé le meilleur de mon plan pour la fin.

— Et j'ai pensé à quelque chose de vraiment archi-extra-génial pour mon troisième et dernier GGG. C'est moi qui vais préparer le dessert du jour. Un fameux gâteau choco-banane. Je l'ai déjà fait une fois avec mamie Simone. Tu vas voir, les clients vont l'adorer et en redemander. Ça pourrait même devenir une spécialité de la pâtisserie.

Avec toutes ces suggestions, c'était difficile pour lui de refuser.

— OK, Juliette ! Tu as raison, c'est une bonne idée. Mais je te mets en garde : on travaille fort dans une pâtisserie et, surtout, on se lève très tôt.

Je ne peux m'empêcher de lui sauter au cou et de courir chez Hubert pour lui annoncer la bonne nouvelle. J'imagine déjà mon certificat bien en vue au tableau d'honneur de la classe, confirmant mon adhésion au club des gestes gentils gratuits. Papa sera tellement fier de moi !

Chapitre 3

La journée des GGG

Le chapeau de cuisinier de papa est deux fois trop grand pour ma tête et il me tombe de temps à autre sur les yeux, mais je suis vraiment fière de le porter. Ça me donne un air de pâtissière professionnelle. Hubert, lui, avec le tablier fleuri de sa mère, est trop drôle à voir.

Bien qu'il ne soit que six heures du matin, Hubert prend son rôle d'apprenti goûteur très au sérieux. Il a déjà mangé deux croissants et une chocolatine, et regarde avec grand intérêt le présentoir des desserts.

Voilà enfin les clients qui arrivent, et je me rappelle les paroles de papa : « Le service à la clientèle est aussi important qu'un bon croissant. » Ce qui veut dire que l'on doit afficher notre plus beau sourire en tout temps. La première cliente semble plus que satisfaite de notre accueil et repart avec sa baguette de pain, ses trois croissants et... un large sourire.

Puis, un petit problème survient avec notre deuxième client au moment de payer. La caisse refuse de s'ouvrir et fait des *ding ding* ou des *dong dong* chaque fois que je touche à un bouton. Hubert s'approche et la secoue : elle lui répond par un long *zzzzzzzzzzzz* qui agresse nos oreilles. C'est finalement papa qui, alerté par le bruit, vient régler ce léger contretemps.

Ça se complique davantage à l'arrivée de Monsieur Gagnon, un habitué de la pâtisserie.

— Je vais prendre un café pour emporter. Dépêchez-vous, s'il vous plaît, mon autobus va passer d'une minute à l'autre.

— Parfait, mon cher monsieur. Ici, le service à la clientèle est aussi rapide qu'un éclair... au chocolat, que je lui lance, sourire en coin.

Papa dit qu'il est toujours bon de faire un peu d'humour avec les clients.

Pendant que je me dépêche, Hubert s'improvise conseiller en pâtisserie.

— Si monsieur veut commencer sa journée du bon pied, il devrait acheter un de ces exquis croissants. Ils sont succulents, et je sais de quoi je parle ! souligne l'apprenti goûteur en se frottant la bedaine.

Monsieur Gagnon sourit timidement en répétant qu'il est pressé. De mon côté, plus je sens que Monsieur Gagnon a peur de manquer son autobus, moins j'arrive à mettre le fichu couvercle sur le verre. J'appuie un

peu trop fort et, en une fraction de seconde, j'aplatis le verre. Le café se répand partout sur le comptoir.

Comble de malchance, l'autobus passe au même moment devant la pâtisserie.

— Oh non ! Je vais être en retard ! s'exclame tout haut notre client stressé et stressant.

Papa accourt pour voir ce qui se passe et remarque l'air débiné de Monsieur Gagnon et le café… renversé.

Papa est désolé et prend les choses en main.

— OK, Juju, je crois que c'est le temps d'aller préparer ton gâteau. Hubert, va lui donner un coup de main, s'il te plaît.

Hubert, la bouche pleine de chocolat, ne peut rien dire, mais est bien heureux d'entendre le mot « gâteau ».

Chapitre 4

Un gâteau choco-grimace

J'ai la brillante idée d'inscrire sur le tableau du menu du jour : « Gâteau spécial GGG. » J'offre à Hubert d'en prendre un morceau avant que les clients ne se l'arrachent, mais l'apprenti goûteur refuse net.

— Mon ventre va exploser ! se lamente Hubert.

Rien de surprenant, il a mangé deux croissants, une chocolatine, une brioche aux framboises, une autre aux bleuets, un beignet aux pommes et un morceau de tarte au citron. Son estomac est rempli et, rien

qu'à voir de la nourriture, il a mal au cœur. Incapable de servir les clients et d'afficher son beau sourire, il retourne chez lui, jurant qu'il ne deviendra jamais goûteur dans une pâtisserie. Zut ! moi qui avais trouvé un nouvel employé pour aider papa, le voilà qui déguerpit.

Heureusement, papa ne semble pas trop s'en faire avec le départ d'Hubert.

— Ce n'est pas grave, Juju. On va faire équipe ensemble. Et n'oublie surtout pas l'importance du…

— … service à la clientèle ! que je lui lance avec un large sourire, devinant la fin de sa phrase.

Quelques minutes plus tard, je remarque qu'une cliente que je connais bien, Madame Brunet, consulte la carte des desserts. Je m'approche afin de la conseiller.

— Si vous voulez mon avis, vous devriez prendre le gâteau du jour. Aujourd'hui, c'est

le fabuleux extra-génial gâteau GGG. Il a été préparé par une chef pâtissière tout aussi fabuleuse et extra-géniale, c'est-à-dire moi !

Je lui explique ce qu'est le club des gestes gentils gratuits de ma classe. Elle trouve l'idée tellement originale qu'elle s'empresse de commander un GROS morceau de mon gâteau choco-banane.

J'attends fébrilement qu'elle crie de toutes ses forces que c'est le meilleur gâteau qu'elle ait jamais mangé de toute sa vie, mais plutôt que d'exprimer sa joie, elle fait une HORRIBLE grimace. Pas besoin d'être une spécialiste en grimaces pour savoir que quelque chose ne tourne pas rond. Elle me regarde d'un air désolé, crache sa bouchée dans sa serviette et me dit tout bas :

— Ma pauvre petite Juliette, mais c'est infect !

Papa, qui voit et devine tout, arrive au secours de Madame Brunet avec un verre

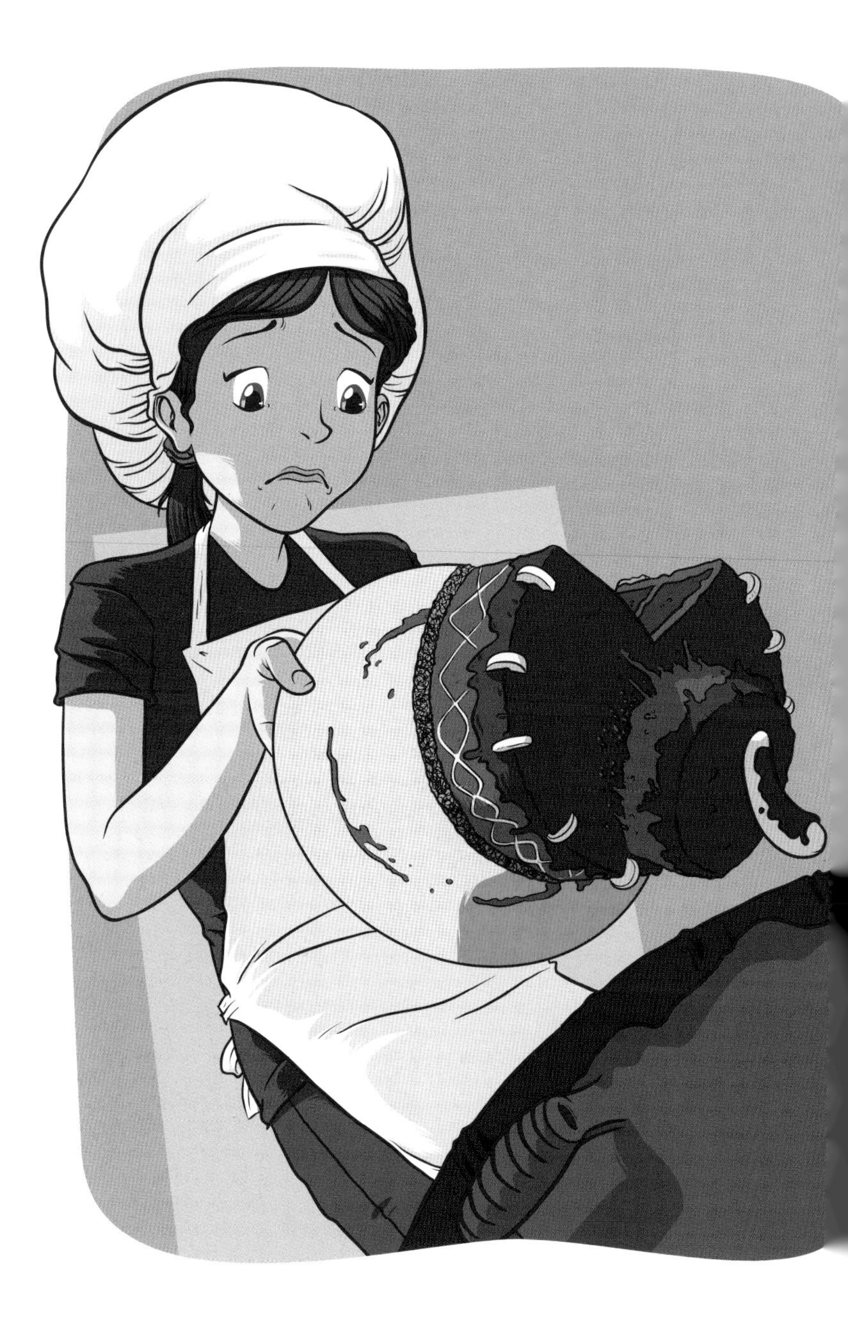

d'eau, qu'elle vide d'un trait. Papa prend une bouchée de mon dessert à son tour, et à voir son expression, c'est évident qu'il y a un problème avec mon gâteau.

— Juliette… tu as mis du sel ? me demande papa entre deux simagrées.

— Euh… oui. Une… demi-tasse, selon la… recette.

Le doute s'empare de moi. Et quand le doute s'empare de nous, ce n'est pas toujours une bonne nouvelle.

— Une demi-tasse de sel ?! Ç'aurait dû être une demi-cuillère à thé, précise papa.

Il n'en faut pas plus pour que le gâteau choco-grimace-sel se retrouve à la poubelle en un temps record et que mes chances de faire partie du club des GGG deviennent plus nulles que nulles !

Je dois admettre que, comme défi des GGG, ç'aurait pu être mieux. L'employé que j'ai recruté n'a pas terminé sa journée,

mon service à la clientèle a connu quelques ennuis malgré mon beau sourire, et mon gâteau a été une catastrophe totale. Mais grâce à papa, je vais quand même me retrouver au tableau d'honneur de ma classe comme membre officiel du club des gestes gentils gratuits. En effet, il n'a pas hésité un instant à signer mon certificat soulignant des gestes gentils gratuits inattendus :

Pas un mot sur mes gaffes de la journée ! Je l'ai échappé belle !

Et le plus extraordinaire, c'est que papa est tellement fier de moi qu'il m'invite à revenir faire des GGG dès demain. Mais cette fois, il m'aidera pour le gâteau.

L'auteur

Yvan DeMuy travaille depuis plus de vingt ans comme éducateur spécialisé auprès des élèves en difficulté. Lorsqu'il n'aide pas les enfants, il leur écrit des histoires. Yvan est le scénariste de la websérie *Juliette en direct* et il a écrit trois épisodes pour l'émission *Théo*. Il est aussi l'auteur des séries *Magalie* et *Les soucis d'un Sansoucy* aux Éditions Michel Quintin. Yvan prend un malin plaisir à raconter des histoires complètement folles à son fils avant d'aller dormir. Les animaux en peluche lui donnent un bon coup de main !

À venir...

Un reportage... tordant !

Achevé d'imprimer
en mai deux mille treize, sur les presses
de l'imprimerie Gauvin, Gatineau, Québec